AUTOR ORIGINAL
KENNETH GRAHAME
ADAPTACIÓN
CLAIRE O'BRIEN
ILUSTRACIÓN
DANIEL DUNCAN
TRADUCCIÓN
VIRGINIA DE MONTANARO

El Viento en los Sauces

Índice de contenido

Capítulo 1. La orilla del río

Rata y Topo se detuvieron a hacer un pícnic.

Allá va Sapo en otro bote nuevecito.

¡Ja, ja! ¡Soy un sapo muy astuto!

Se aburrirá muy pronto y se comprará otra cosa.

Ese es Tejón. No sale muy seguido.

Quizás podríamos visitarlo.

No, él vendrá cuando esté listo.

Topo intentó remar.

¡Cuidado!

¡Caracoles!

¡No sé nadar!

¡Tranquilo Topo, yo te sacaré!

Rata salvó a Topo y lo llevó a su casa para secarse.

¿Te gustaría quedarte un tiempo conmigo? Te enseñaré a remar y a nadar.

¡Sí, por favor!

SPLOOSH SPLASH

Varias semanas después, Tejón los visitó. Traía malas noticias.

¡Sapo ya arruinó siete automóviles nuevos!

¡¿Siete?!

Y ya compró otro.

Debemos enseñarle a ser más razonable.

Tenenos que hablar seriamente.

Por favor, regrese el auto a la agencia.

Has gastado mucho dinero, Sapo.

Lo siento mucho, Tejón.

Desprestigias a todos los animales.

Lo lamento de verdad, Tejón.

Hablar con él no va a cambiar las cosas.

Eres un peligro como conductor, Sapo.

Renunciaré a los autos para siempre.

SNIFF BLUBBER SOB

Sapo se oye muy preocupado.

No tardaron en atrapar a Sapo. Estaba en graves problemas.

Doce meses por robo. Tres años por conducir como maníaco. Quince años por ser insolente y uno extra. ¡Veinte años!

WAIL

SOB

HOWL

Capítulo 2. La fuga de Sapo

Varias semanas después…

¡Oh, sabio Tejón! ¡Oh, inteligente y hábil Rata y sensato Topo! ¡Debí haberlos escuchado!

La hija del carcelero visitó a Sapo.

Ha sido muy torpe, pero este castigo es muy cruel.

He sido un animal muy tonto.

Ella ideó un plan para ayudar a Sapo a escapar, pero Sapo no estaba feliz.

Ponte este uniforme de lavandera.

¡Claro que no! Sapo de la mansión no puede vestirse como una lavandera.

No seas tan ingrato. ¿De qué otra forma vas a escapar?

Entonces, Sapo hizo lo que ella dijo.

Esa noche más tarde...

¡Carcelero, déjeme salir! Soy la lavandera recogiendo la ropa.

No vi cuando usted entró.

Debió estar tomando una siesta.

Sapo tenía mucho miedo de que lo atraparan.

Pero finalmente salió al aire fresco.

¡Soy libre!

Sin embargo, Sapo no tardó mucho en tener frío, hambre y estar fatigado.

Tuvo que dormir bajo unas hojas.

En la mañana, Sapo encontró el camino, pero tuvo una sorpresa desagradable.

¡Ay, no! ¡Ese es el auto que robé! ¿Qué tal si me atrapan? ¡Cadenas de nuevo! ¡La cárcel otra vez! ¡Pan duro y agua de nuevo!

¡Oh, infeliz Sapo! ¡Oh, desesperación!

Aunque Sapo tuvo suerte.

Esta pobre lavandera se desmayó.

Vamos a llevarla al pueblo.

¡Hurra!

¿Cómo se siente ahora, señora?

Me sentiría aún mejor si pudiera sentarme adelante.

¡Claro!

¿Me permitiría conducir?

¿Por qué no? No le hará mal a nadie.

Sapo aceleró…

más… y más rápido… hasta que…

¡Cuidado!

¡Desacelere, señora lavandera!

Lavandera, ¿de verdad? ¡Soy Sapo, el intrépido!

¡Robaste este auto!

¡Atrápalo!

¡Soy un sapo–ave!

Pronto, Sapo era un prófugo otra vez.

¡O–oh!

Saltó al río para escapar.

SPLASH

¡Es indignante! ¡¿Cómo se atreven?!

SPLAT

SPLOT

OUCH

Prometo que en adelante escucharé tus consejos.

Si es así, vamos a cenar, a dormir y esperemos a Topo y Tejón.

HOWL WAIL SOB

Al día siguiente…

Topo y Tejón han acampado afuera de tu casa vigilándola todas estas noches.

Sí que eres un problemático y mal Sapo.

Pero es bueno verte de nuevo.

Tienen guardias en todas las puertas y ventanas.

Se están comiendo y bebiendo todo lo que hay en la despensa.

¡Ya nunca regresaré a mi mansión Sapo!

¡Anímate Sapo! Existe un pasaje subterráneo.

Nos lleva desde la ribera directo al centro de la mansión Sapo.

¡Las comadrejas no nos dijeron!

Así son las comadrejas. Nosotros los armiños no les importamos.

CHUCKLE CHUCKLE

Topo les dijo a los otros.

¡Ay, Topo! ¡No es cierto!

¡Qué tonto eres! ¡Has estropeado todo!

¡Genial Topo!

Si esperan cientos de ellos estarán asustados y huirán tan pronto como ataquemos.

¡Genio!

¿Por qué no pensé yo en eso?

unos salieron por las ventanas.

Sapo persiguió al jefe Comadreja.

Enseguida, todo terminó.

Las comadrejas se arrepintieron.

Pusimos toallas limpias…

y cambiamos las sábanas.

Luego de una buena cena, los amigos se fueron a dormir muy felices y satisfechos.

Gracias por tu plan, Topo. Ahora puedo ver cuán listo eres.

Mostraste una gran valentía, Sapo.

29

Sapo tenía una idea.

Esta es la oportunidad de contarles a todos sobre mis aventuras y mi valentía.

scribble, scribble

¡Soy un sapo muy listo!

Pero Rata, Tejón y Topo vieron lo que escribió…

El banquete de Sapo

Programa de la tarde:
Discurso, por Sapo
Otros discursos, por Sapo
Una canción, por Sapo
Más canciones, por Sapo

Señor Sapo

¡No, Sapo! No habrá discursos.

GASP

¡Ni canciones!

Es por tu propio bien.

Tus discursos y canciones tan sólo son para alardear.

Sólo una cancioncita.

¡No!

Sapo meditó al respecto. Sabía que tenían razón.

En el banquete, elogió a los demás y fue modesto y discreto. Se sintió bien.

Tejón era el líder.

Rata y Topo libraron casi toda la batalla.

De hecho, Sapo había cambiado.

Sapo se convirtió en una criatura mucho más feliz y su amistad con Rata, Topo y Tejón continuó durante muchos veranos.

Kenneth Grahame nació el 8 de marzo de 1859. Creció en Escocia con sus padres, su hermana y dos hermanos.

Cuando tenía cinco años, su madre murió a causa de una terrible fiebre y Keneth se fue a vivir con su abuela a Berkshire. Su nuevo hogar estaba cerca del río Támesis, donde desarrolló su pasión por el río y los botes, lo que fue inspiración para escribir esta obra.

Kenneth realizó sus estudios en Oxford y al terminar trabajó para el Banco de Inglaterra. En 1899 se casó y tuvo un hijo, Alastair.

El viento en los sauces se publicó originalmente en 1908 y el entonces presidente de los Estados Unidos, Theodore Roosevelt, era fanático del libro. Desde entonces se han vendido millones de copias manteniendo su popularidad hasta ahora.

Kenneth murió en su hogar, en Pangbourne, Berkshire (Reino Unido), el 6 de julio de 1932.